ESTELA Y SU ESTRELLA

PILAR VALDIVIESO

ESTELA Y SU ESTRELLA

PRIMERA EDICIÓN
Enero 2023

Editado por Aguja Literaria
Noruega 6655, dpto. 132
Las Condes - Santiago de Chile
Fono fijo: 56 - 227896753
E-Mail: contacto@agujaliteraria.com
www.agujaliteraria.com
Facebook: Aguja Literaria
Instagram @agujaliteraria

ISBN
9789564090542

Nº INSCRIPCIÓN:
2022-A-9735

DERECHOS RESERVADOS
Estela y su estrella
Pilar Valdivieso

IMÁGENES:
María José Vela Montero
Diseño de Tapas: María José Vela Montero

Hace mucho, muchísimo tiempo...

Antes de los tiempos de "HABÍA UNA VEZ...", las estrellas vivían en la tierra, entre las personas.

9

Eran de todos los colores, tenían manos y piernas, ojos,
boca y oídos; no tenían nariz porque respiraban por los
poros de todo su cuerpo de estrellas.

Muchas de las estrellas estaban embarazadas, pero demoraban mil años en dar a luz a sus estrellitas, por lo que el aumento de estas estrellas era lento, muuuuuuuuuuy leeeeeennnntoooooo.

Cada familia tenía una
estrella, en la casa de Estela
había una que llamaban
Dorotea.

Ella era parte de la familia,
comía con ellos, los
acompañaba en sus paseos,
jugaban juntos,
incluso a veces leía
cuentos a toda
la familia.

Un día, Estela tenía mucho miedo, por lo que Dorotea
se ofreció para acompañarla a la cama, así podría abrazarla cada vez
que sintiera miedo.

Estela esa noche durmió muy bien, también a la siguiente y
a la siguiente de la siguiente... Todas esas noches le volvió a pedir a
Dorotea que la acompañara porque así se le pasaba el miedo.

Estela estaba demasiado
contenta, dormir bien
y sin miedo la tenía
extremadamente feliz y
todos a su alrededor querían
saber lo que le pasaba.

Incluso en el colegio de Estela, todos sus compañeros y compañeras querían saber por qué andaba tan contenta, así que les contó su secreto.

Esa noche, todo fue un verdadero caos; los niños y las niñas del lugar querían dormir con sus estrellas, pero no todas las estrellas eran como Dorotea, ni en todas las casas había un solo niño... en algunas había siete y solo una estrella...

Y el problema, como se imaginarán, no se solucionaría con tener más estrellas, porque para eso faltaba muchísimo tiempo, y para cuando hubiera más de estas, los niños ya no serían niños, incluso, ni siquiera sus hijos ni nietos lo serían...

Esta confusión creó divisiones,
las estrellas se escondían de
las personas,

a veces no llegaban a
dormir a sus casas, temían
que las partieran.

Durante el día se reunían en grupos de estrellas y de personas, separados por supuesto, para saber cómo podrían resolver el problema.

21

Una noche, la estrella mayor se juntó con el anciano representante de las personas y se dieron cuenta de que ya no podrían seguir viviendo juntas y que los tiempos de paz habían acabado, pero querían encontrar una solución para mantener la linda relación que tenían.

Mientras conversaban, se acordaron de cómo había comenzado todo esto y recordaron lo bien que le había hecho a Estela sentirse protegida por Dorotea.

En ese entonces, la estrella
mayor dijo al anciano:

—¿Y si las estrellas nos vamos a un
lugar donde todos nos puedan ver?
Tendríamos nuestro propio hogar
y todos los niños
del mundo podrían
mirarnos, y así los
protegeríamos.

—Eso sería fantástico —dijo el anciano—, aunque
me dará pena no estar más con ustedes.

—No te preocupes —le respondió la estrella
mayor—, encontraremos la forma de
volver a encontrarnos.

Luego de esta reunión, comenzaron con los
preparativos, querían hacer una gran fiesta antes de la
partida de las estrellas.

Y así fue, asistieron todas las personas y
todas las estrellas del mundo; en cada lugar
del planeta se celebró esta gran fiesta.

Cuando se hizo de noche y todos debían regresar a sus casas, las estrellas se tomaron de las manos, cerraron los ojos...

28

...y subieron juntas al cielo...

Ahí, cada una buscó su lugar, se acomodó y nunca más se movió, salvo unas inquietas que a veces salen corriendo y las podemos ver desde la tierra.

Desde ese día,
las estrellas nos mandan
su luz para que sepamos
que nos están protegiendo.

Y cuentan por ahí, que algunas personas al morir eligen ir a acompañar a las estrellas para poder protegernos también desde el cielo.

—Hola, estrella mayor,
¿que ya no me reconoces?
Soy el anciano; tenías razón,
encontramos la forma de
volver a encontrarnos.

Pilar Valdivieso Milnes, nació en agosto de 1983, en Santiago de Chile. Madre de cuatro hijos, su profesión es educadora de párvulos, a lo que se dedicó por más de diez años.

Desde el 2017 dejó de ejercer para dedicarse a su familia, pero tratando de mantenerse activa en el ámbito de la educación.

El año 2012 tomó un diplomado en Fomento de la Literatura Infantil y durante la pandemia, vio que podría ser un aporte a través de la literatura; además de escribir Estela y su estrella, su primer libro, tomó un curso de cuentacuentos y es voluntaria contando cuentos en algunos lugares de Santiago.

Made in the USA
Monee, IL
03 February 2023

26888372R00024